Riccardo Bozzi

El mundo es tuyo

Ilustrado por Olimpia Zagnoli

editorial juventud

Barcelona

El mundo es tuyo.

Y tú eres del mundo.

Eres libre.

Con un poco de suerte.

Eres libre.

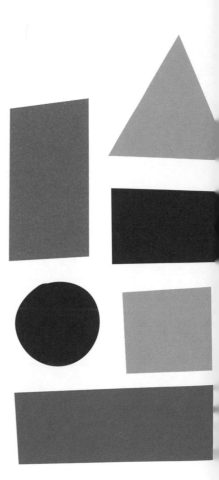

Pero tienes limitaciones.

Eres libre de creer en lo que quieras.

Y tu amigo es libre
de creer en lo que quiera, o en nada.

Eres libre de amar a quien quieras.
Sea quien sea.

Eres libre de no querer a nadie.
Si puedes.

Eres libre de ser amado.

O no.

Eres libre
de jugar.

Y jugar,
y jugar,
y jugar.

Eres libre de aprender.

Aunque a veces duele.

Eres libre de ser feliz.

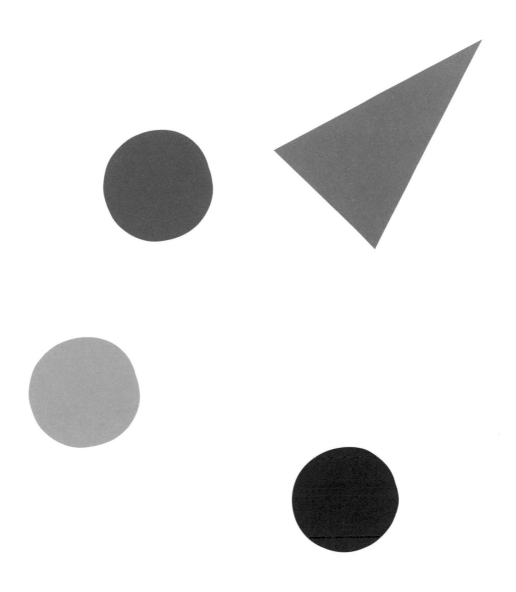

Pero no siempre será fácil.

Eres libre de ser infeliz.

Lo cual no suele ser muy difícil.

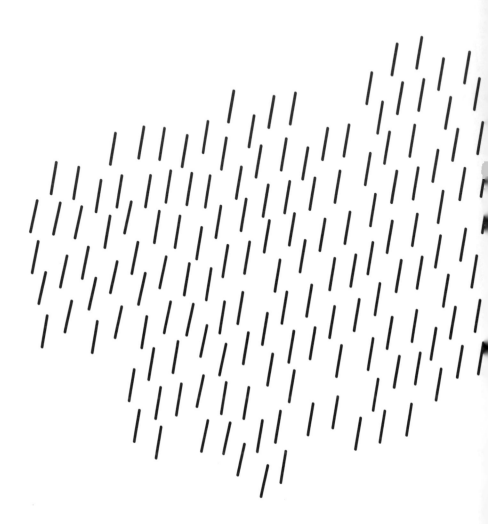

Por extraño que parezca,
ser infeliz no es inútil.

Todo lo contrario.

Eres libre,
pero tienes limitaciones.

Y sin embargo, si te esfuerzas,
podrás superar las limitaciones.

Porque el mundo es tuyo.

Y tú eres del mundo.

Este libro está dedicado a
la Hormiguita y al Súper Ratón.

Título original:
THE WORLD BELONGS TO YOU

© Texto: Riccardo Bozzi, 2013
© Ilustraciones: Olimpia Zagnoli, 2013
Publicado en 2013 en Gran Bretaña
por Templar Publishing

© EDITORIAL JUVENTUD, S. A., 2013
Provença, 101 - 08029 Barcelona
info@editorialjuventud.es
www.editorialjuventud.es

Traducción de Teresa Farran
Primera edición, 2013

ISBN 978-84-261-4007-4

DL B 17533-2013
Núm. de edición de E. J.: 12.673

Printed in Spain
A.V.C Gràfiques, Avd. Generalitat, 39
Sant Joan Despí (Barcelona)

Riccardo Bozzi
nació en Milán en 1966.
Desde 1990 es periodista del diario
italiano *Corriere della Sera.*

Olimpia Zagnoli
nació en 1984 en una pequeña ciudad
del norte de Italia. Su estilo se caracteriza
por unas ilustraciones gráficas limpias,
con un toque retro.
Su trabajo ha aparecido en muchas
revistas, periódicos, portadas
de libros, carteles y exposiciones
en Europa y Estados Unidos.
Ha trabajado para el *New York Times,
The New Yorker, The Washington Post,
The Boston Globe, Corriere della Sera,
Adidas Originals,* la revista *Rolling
Stone,* la BBC y muchos otros. Vive en
Milán y Nueva York y conduce un Fiat
amarillo. Su color favorito es el amarillo
y le encanta Picasso. Cuando sea mayor
quiere ser una estrella del rock.